Este libro pertenece a:

_____

_____

_____

(La criatura más resistente del planeta)

¡Grrr!

Dirección editorial: Cristina Arasa
Coordinación de la colección: Mariana Mendía
Edición: Laura Lecuona y Libia Brenda Castro
Formación: Javier Morales Soto
Traducción: Eliana Pasarán
Revisión de la traducción: Laura Lecuona

Animales extremos. Los animales más resistentes del planeta

Título original en inglés: *Extreme Animals. The Toughest Creatures on Earth*

Publicado por acuerdo con Walker Books Ltd., 87 Vauxhall Walk, Londres, SE11 5HJ
Todos los derechos reservados.

Texto D. R. © 2006, Nicola Davies
Ilustraciones D. R. © 2006, Neal Layton

Primera edición: diciembre de 2014
D. R. © 2014, Ediciones Castillo, S. A. de C. V.
Castillo © es una marca registrada.
Mundo Mosaico ® es una marca registrada.
Insurgentes Sur 1886, Col. Florida.
Del. Álvaro Obregón.
C. P. 01030, México, D. F.

Ediciones Castillo forma parte del Grupo Macmillan

www.grupomacmillan.com
www.edicionescastillo.com
infocastillo@grupomacmillan.com
Lada sin costo: 01 800 536 1777

Miembro de la Cámara Nacional de la Industria Editorial Mexicana.
Registro núm. 3304

ISBN: 978-607-621-131-1

Impreso en China / *Printed in China*

Para Mike Shooter, con amor N. D.

Para Alison – ¡Sin ti estaría congelado, hervido y aplastado! N. L.

Las diminutas bacterias de la siguiente página gozan mientras las **HIERVEN** vivas en lodo súper caliente. Si quieres saber por qué, ve a la página 37.

ANIMALES EXTREMOS

Los animales más resistentes del planeta

Nicola Davies

Ilustraciones de **Neal Layton**

Traducción de **Eliana Pasarán**

CASTILLO

MUNDO MOSAICO

Los seres humanos somos una bola de debiluchos:

no soportamos mucho frío,

no soportamos mucho calor,

no podemos vivir sin comida o agua,

y unos cuantos minutos sin aire bastan para acabar con nosotros.

Sin embargo, no todos los seres vivos son tan frágiles. A lo largo y ancho del planeta hay animales (y plantas) a los que entusiasman ciertas condiciones que matarían a un ser humano antes de que pudiera decir "achú".

MANTENER EL FRÍO A RAYA

Comencemos en la cima del mundo, en la región ártica, donde está el Polo Norte.

Allá arriba hace tanto frío en invierno que todo el océano Ártico se congela y forma una gruesa capa de hielo. Por dentro, un congelador está a −18°C, pero el Ártico puede ser tres veces más frío: −60°C. Y una vigorizante temperatura de −30°C, lo normal en un día invernal ártico, podría congelar tu cuerpo desnudo en tan sólo 60 segundos.

Para tener alguna oportunidad de sobrevivir necesitarías usar:

La cima del mundo

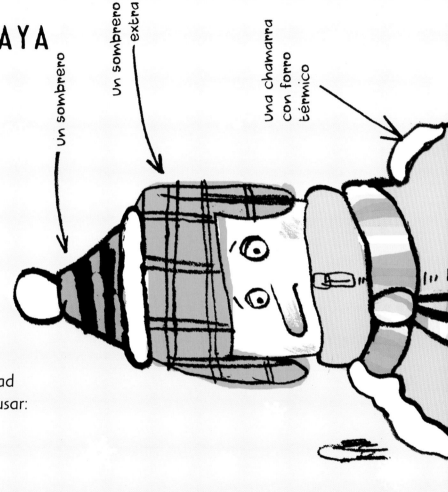

un sombrero

Un sombrero extra

Una chamarra con forro térmico

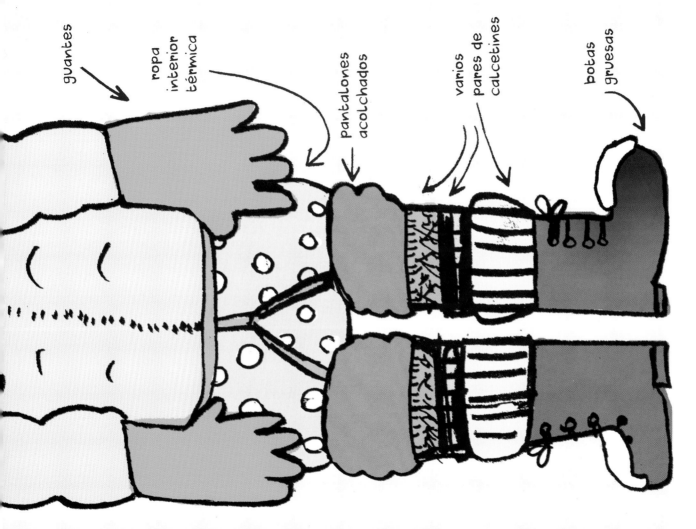

guantes

ropa interior térmica

pantalones acolchados

varios pares de calcetines

botas gruesas

Sin toda esta ropa, morirías en unos minutos. Con toda esta ropa, pues a lo mejor aguantarías unos cuantos días.

9

En cambio, los osos polares se mantienen siempre calientes, y eso que están desnudos. La piel con la que nacen funciona mejor que nuestros abrigos. En vez de ropa interior térmica, tienen una capa de entre 7 y 10 cm de grasa bajo la piel, y también, una doble capa de pelaje con un truco más para combatir el frío: cada pelo está hueco, es transparente (no blanco) y atrapa aire caliente como si fuera un miniedredón. Además de todo, su piel es negra, y como los colores oscuros absorben más calor que los claros (si no lo crees, sal a pasear con una playera negra bajo el sol), su cuerpo absorbe todo el calor que atrapa su pelaje. Esto funciona a las mil maravillas.

← otra capa de pelos

← capa de pelos

cm

grasa

La grasa y el pelaje de un oso polar

En una ocasión, unos investigadores pensaron que la mejor manera de contar osos era explorar la nieve con cámaras detectoras de calor, desde un avión. El problema fue que como el calor corporal de los osos polares está tan encerrado, la parte externa de su pelaje tiene la misma temperatura que la nieve. Por eso, lo único que vieron fue una que otra nariz de oso polar (porque sus narices no están cubiertas de pelos).

EL TRAJE MÁS ABRIGADOR DEL MUNDO

El pelaje del oso polar puede ser el más caliente de la Tierra, pero hay otros aspirantes al título de traje más abrigador del mundo.

Los bueyes almizcleros del Ártico tienen los abrigos de lana más calientes. La lana les crece hasta los tobillos y es ocho veces más caliente que la lana de los borregos (los esquimales lo llaman *quiviut*).

Las nutrias marinas tienen el pelaje más espeso del planeta, con aproximadamente 155000 pelos por centímetro cuadrado. Pasan casi toda la vida metidas en agua extremadamente fría, y su fino pelaje les ayuda a retener una capa de aire caliente cerca de la piel todo el tiempo.

Las ballenas boreales viven en el océano Ártico, donde el agua está congelada la mayor parte del año. Claro que no tienen ningún pelaje, pero bajo la piel tienen una capa de grasa como de un metro. Podría decirse que tienen la ropa interior más gruesa del mundo.

Con todo, posiblemente el premio se lo lleva el abrigo de plumas del pingüino emperador. Estos pingüinos viven en el otro lado del planeta, en el Polo Sur. La Antártida es el lugar más frío de la Tierra, donde las temperaturas en invierno oscilan entre los −20° y −80°C. Y justo en invierno es cuando estos pingüinos se reproducen.

¡EL ganador!

Pingüino emperador

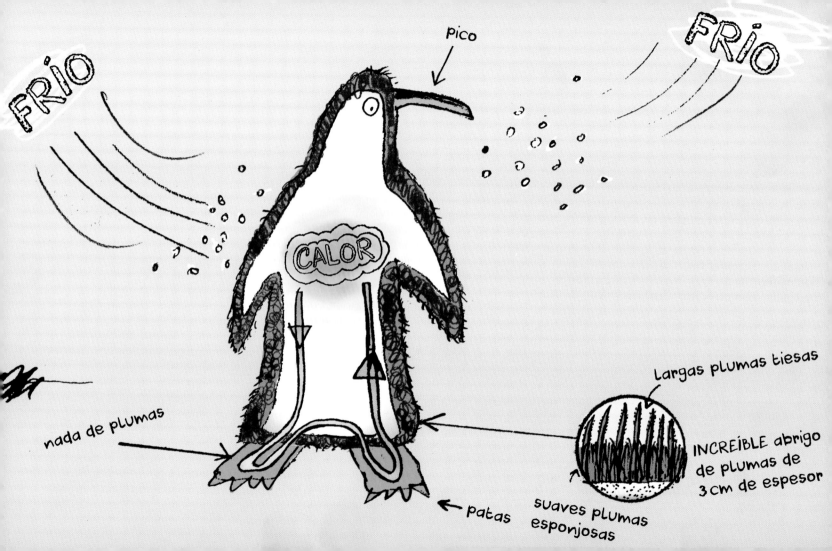

↑
extremo inferior
del mundo

Como no tiene un lugar para anidar, ni con qué hacer un nido, el pingüino emperador macho equilibra entre sus patas el único huevo que ha puesto la hembra. Se queda durante 65 días en la nieve, soportando vientos helados que soplan a 160 kilómetros por hora, hasta que el polluelo sale del cascarón.

Suena inverosímil (por no decir deprimente y tedioso), pero los papás pingüino se las arreglan gracias a su increíble abrigo emplumado de 3 cm de espesor. Las plumas tiesas evitan que entre el viento y las plumas suaves impiden que salga el calor. Este abrigo es tan bueno para mantener el calor adentro y el frío afuera que puede haber una diferencia de hasta 80 °C entre el interior y el exterior de su plumaje.

Un pliegue de piel recubierto de plumas mantiene al huevo calentito. Las patas de papá pingüino no tienen una cubierta que preserve el calor, así que para evitar que se escape por ahí, usa un "mecanismo de contracorriente". Con este nombre se conoce la manera en que la sangre caliente que circula hacia las patas pasa la mayor parte de su calor a la sangre fría que viene de ellas fluyendo de regreso hacia el cuerpo. Así las patas apenas se libran de congelarse, pero muy poco del preciado calor corporal consigue escaparse entre los dedos.

Nieva otra vez.

Y también soplan vientos helados.

DIAGRAMA DEL PINGÜINO EMPERADOR

ACURRUCÁNDOSE EN EL FRÍO

Tener una cubierta caliente no es la única manera de burlar al frío mortal: compartir el calor del cuerpo también funciona de maravilla. Los pingüinos emperador se agrupan por centenas para combatir la frialdad antártica. Arrastran muy lentamente las patas para ir cambiando de posición, de modo que todos puedan tener un turno en el cálido centro del grupo.

Para las aves muy pequeñas, incluso el frío común y corriente de una noche helada de invierno puede poner su vida en riesgo. Los pájaros diminutos, como el reyezuelo, no pueden mantenerse calientes, así que duermen acurrucados en grupos de hasta treinta para sobrevivir a temperaturas que de otra forma los congelarían sobre las ramas.

Muchos otros pájaros y animales también se apiñan para calentarse, pero las tórtolas de cola larga que habitan en Estados Unidos y México son las únicas que lo hacen en filas: se acomodan como una pirámide viviente para entrar en calor en las noches de invierno.

¡Quiero ir al baño!

MUY RESISTENTES

Los osos polares pueden mantenerse calientes en condiciones que matarían a un ser humano, pero hasta ellos morirían si su temperatura corporal descendiera unos cuantos grados. Debajo de sus grandes abrigos, son tan debiluchos como nosotros. Los animales verdaderamente resistentes son los que pueden helarse por completo y, aun así, sobrevivir. Algunos de los seres más delicados del mundo son en realidad muy resistentes. Por ejemplo, los colibríes pueden soportar que su temperatura corporal descienda 20 o 30 grados por debajo de lo normal. Compara esto con los humanos: si nuestra temperatura descendiera 2 °C nos enfermaríamos, y con un descenso de 10 °C es probable que muriéramos. En cambio, estos pajaritos descienden su temperatura casi todas las noches para ahorrar sus reservas. Si sus cuerpos se mantuvieran calientes, se consumirían las que tienen almacenadas y los colibríes no pueden libar néctar en la oscuridad).

También algunos murciélagos son verdaderamente resistentes gracias a que ahorran alimento. Los insectos desaparecen en invierno, por lo que los murciélagos deben vivir de su propia grasa corporal. Mantenerse calientes y activos les haría quemar muy pronto esas reservas de grasa, así que hibernan y dejan que sus cuerpos se enfríen muchísimo para que les alcance hasta la primavera. Los murciélagos colorados de Canadá y Estados Unidos son los que más fríos se ponen, y por breves lapsos de tiempo aguantan una temperatura corporal de hasta −5 °C, pero éste es su límite: si se enfrían más, sus cuerpos comienzan a quemar grasa para calentarse de nuevo.

19

muy resistente

Pero también delicado

PALETAS HELADAS DE RANA

Los mamíferos y las aves son de sangre caliente y queman alimento para mantener el calor. En cambio otros animales, como los anfibios y los reptiles, son de sangre fría y no pueden calentarse así. Solamente pueden sobrevivir a temperaturas bajo cero guardando calor en algún lado… o convirtiéndose en paletas heladas mientras dura el invierno.

Bajo la nevada hojarasca de los bosques donde hibernan los murciélagos colorados, puedes encontrar a las ranas de bosque completamente congeladas y frágiles como cristal. Estas "paletas heladas de rana" no están muertas: cuando llega la primavera se descongelan y brincan al sentir los rayos solares.

Por lo general, para los seres vivos congelarse es algo perjudicial, pues nuestros cuerpos están compuestos en su mayoría de agua y, cuando ésta se vuelve hielo (un poco por debajo de 0 °C), se expande y rompe cualquier cosa que la contenga (por esto, las tuberías de las casas a veces explotan cuando la temperatura es muy baja). Cuando un cuerpo se congela, el hielo revienta los vasos sanguíneos y destroza órganos como pulmones o corazones al romper sus células (las células son los diminutos y delicados bloques con los que están hechos todos los cuerpos).

Entonces, ¿cómo sobreviven las paletas heladas de rana?: dejan que el hielo crezca entre las partes importantes de su cuerpo, es decir, afuera de esas células diminutas, donde no pueda hacer mayor daño.

Aventuras de una rana de bosque

A SANGRE FRÍA

EL frío invierno se avecinaba y una rana de bosque se sentía inquieta porque no podía obtener calor como los demás.

Mamíferos quemando alimento

Tengo frío.

¡HEY! ¡HEY!

Pero

células de la rana de bosque

hielo creciendo ENTRE ellas

Luego...

Me estoy congelando...

¡Estoy congelada!

El tiempo pasa

hasta que:

toing

¡Yeeei!

ANTICONGELANTE (o ponle sangre de escarabajo a tu coche)

Si un animal no puede mantenerse caliente ni convertirse en hielo, ¿qué hace en el frío extremo? Usa anticongelante. Algunos anticongelantes animales funcionan como el de los coches: hacen que el agua se congele a una temperatura mucho más baja, y así, aunque llegue a temperaturas bajo cero, no se forma hielo.

Las ranas de bosque llenan con azúcar el agua de sus células, bajando así el punto de congelación mucho más allá de los cero grados, para que no se forme hielo que pueda dañar sus cuerpos. Sin embargo, algunos peces tienen un anticongelante que funciona mejor: se pega a los cristales de hielo para que no puedan crecer. Los dracos o peces hielo del océano Antártico viven en aguas por debajo del punto de congelación de la sangre de la mayoría de los peces, pero no se congelan porque tienen el cuerpo lleno de este ingenioso anticongelante.

Los mares polares nunca se enfrían más allá de unos cuantos grados bajo cero, pero en tierra, las temperaturas árticas y antárticas pueden llegar a −30, −60 o −80 °C. Para resistir el frío en esas condiciones se necesita un anticongelante muy potente. Los científicos lo han encontrado en algunos insectos polares. Algunos escarabajos árticos y diminutos colémbolos antárticos, que sólo miden unos milímetros, no se congelan con el frío extremo pues su anticongelante es treinta veces más fuerte que el de los peces. Los investigadores esperan copiar algún día los anticongelantes animales para ayudarnos a conservar mejor lo que comemos y para mantener vivos por más tiempo los órganos para trasplantes.

¡Sorprendente!

AIRE CALIENTE Y FRÍO

No sólo en los polos nevados y en las altas montañas hace un frío terrible: por la noche los desiertos pueden congelarse, pues no hay nubes que guarden el calor cuando el sol se pone. Esto es un poco problemático para los animales del desierto, que de día puede estar demasiado caliente para un abrigo grueso de pelos o plumas. ¿Entonces cómo soportan el frío de la noche?

Los correcaminos, aves de largas patas de los desiertos del norte de México y del sur de Estados Unidos, aguantan el frío nocturno sólo porque pueden calentarse en cuanto sale el sol. Se ponen de espaldas a él y levantan sus plumas para que los agradables rayos tibios peguen sobre una tira especial de piel negra que tienen a lo largo de los hombros. Así se absorbe el calor, que luego se extiende al resto del cuerpo como si fuera una manta eléctrica: en un abrir y cerrar de ojos ya están calentitos y corriendo por el desierto a toda velocidad.

25

EL CAMEYOYO

Los camellos aprovechan el clima desértico al revés que los correcaminos. El frío nocturno les ayuda a sobrevivir las altas temperaturas diurnas, que pueden alcanzar los 45 o 50 °C. Los humanos nos enfermamos cuando la temperatura nos sube unos cuantos grados, y un aumento de 6 °C puede ser letal. En cambio, los camellos dejan que la suya suba y baje como yoyo hasta por 8 °C. Cuando amanece, tras una noche helada, los cuerpos de los camellos están muy fríos, y se van calentando a lo largo del día. Para cuando ya están demasiado calientes, se pone el sol y la noche se encarga de enfriarlos de nuevo.

26

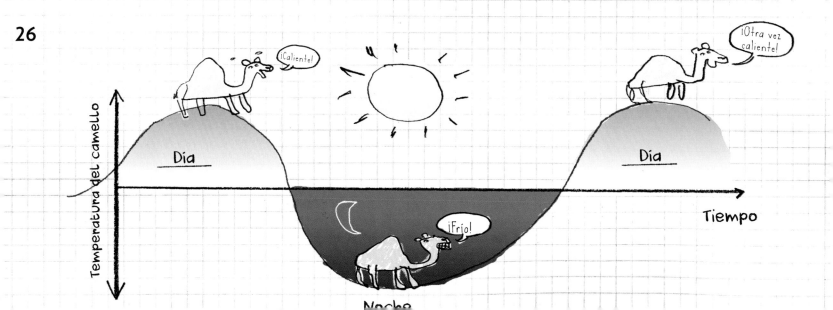

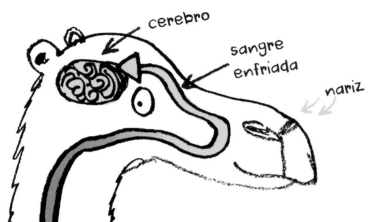

cerebro

sangre
enfriada

nariz

El cerebro es la única parte de un camello incapaz
de soportar el aumento de 8 °C en la temperatura.
Si se calienta tanto como el resto de su cuerpo,
empieza a morir. Para evitarlo, la sangre,
en su camino al cerebro, se enfría al pasar
por los vasos sanguíneos que el camello tiene
en su larga nariz, donde el aire que entra y sale
se lleva el calor consigo, y sólo la sangre más
fría logra llegar al cerebro.

27

También el pelaje del camello
tiene aquí un papel importante:
en vez de impedir que el calor
salga, impide que entre. De hecho los camellos
rasurados se calientan mucho más que los peludos.
Si alguna vez visitas un desierto, verás que la mejor
manera de mantenerte fresco es ponerte ropa
que te cubra del sol y, sobre todo, un sombrero.

¡Refréscate, hermano!

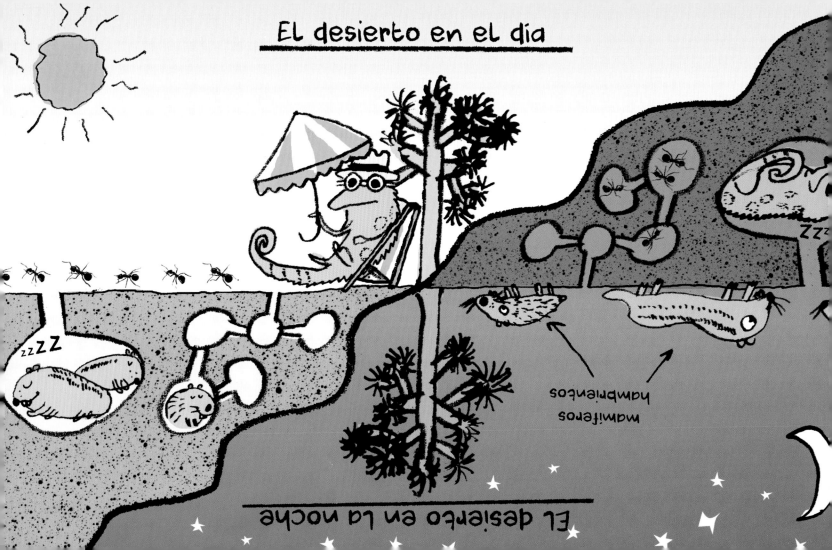

El desierto en el día

El desierto en la noche

mamíferos hambrientos

CÓMO VIVIR EN UN DESIERTO

Dejar que la temperatura corporal suba y baje es un buen modo de enfrentar la dura vida en el desierto, pero casi ningún mamífero puede hacerlo. Nuestros cuerpos no funcionan adecuadamente si no estamos a una agradable y uniforme temperatura. Así, los mamíferos del desierto (fuera de los camellos, claro) tienden a quedarse ocultos bajo tierra, donde está más fresco, y salen en la noche, cuando su capacidad de quemar alimento y mantener el calor es muy útil.

A los reptiles no les importa tener temperaturas que suban y bajen como yoyo: están acostumbrados. No pueden producir su propio calor, así que dependen del sol para que los caliente y de la sombra para que los enfríe. Mientras están fríos no pueden moverse muy rápido que digamos, así que pasan las noches bajo tierra (fuera del alcance de mamíferos hambrientos), y salen cuando el sol puede calentarlos. Muchos se sienten bastante cómodos aunque sus cuerpos tengan más de 38 °C de temperatura, como las iguanas del desierto en el noroeste de México y suroeste de Estados Unidos, que hasta con 46 °C están contentas, pero ya a más de eso tienen que tenderse en la sombra.

En el desierto del Sahara, en África, las hormigas salen cuando los reptiles se guarecen. Las hormigas plateadas toleran una temperatura corporal de hasta 53 °C, un poco más que el lagarto dedos de flecos al que le gusta comérselas. Así, las hormigas pueden buscar alimento sin que alguien se las coma, y hacerse merecedoras del título de animal más caliente del desierto.

MI REINO POR UN TRAGO

El mayor peligro del desierto no es el calor, sino la falta de agua. A los 45 °C del desierto, para que tu cuerpo no se sobrecaliente necesitas sudar 3.5 litros de agua por hora. Los camellos, cuando beben agua en abundancia, no se preocupan por su temperatura yoyo: simplemente sudan y se mantienen frescos.

Pero ¿recuerdas cuál es la principal característica de un desierto? Exacto: la escasez de agua, así que los camellos no pueden simplemente sudar y mantenerse frescos (la joroba de un camello, por cierto, es grasa: una reserva de alimento, no de agua). Sin agua que reemplace toda la que pierdes con el sudor, te secarías como una ciruela pasa, te sobrecalentarías y morirías en muy poco tiempo.

A los camellos no les importa perder hasta un cuarto del agua de su cuerpo, pero los humanos y la mayoría de los mamíferos no se pueden dar el lujo de perder más de una décima parte. Esto, aunado al hecho de que su cuerpo no resiste temperaturas de unos cuantos grados por encima de lo normal (a menos que sean un camello), hace que los mamíferos sean doblemente malos para la vida en el desierto. Sin embargo, a los reptiles, como ya vimos, no les preocupa calentarse, así que no necesitan sudar para refrescarse. También son muy resistentes a la desecación: primero, porque tienen gruesas pieles escamosas que mantienen el agua dentro de sus cuerpos, pero, aparte de eso, su orina contiene muy poca agua. Finalmente, como un último recurso para sobrevivir al calor y la sequía, los reptiles del desierto pueden perder la mayor parte del agua de su cuerpo, por lo que pueden sobrevivir muchos meses sin beber una gota.

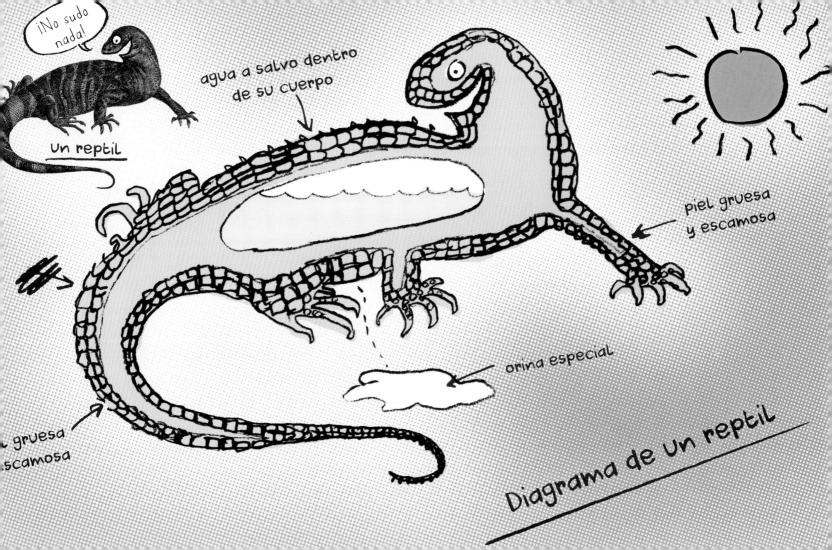

¡FRITO, SECO Y MUERTO DE HAMBRE!

Los reptiles se adaptan al desierto también de otra forma: aguantan mucho tiempo sin comer. Los mamíferos usan su energía para evitar que sus cuerpos se enfríen o calienten demasiado, así que necesitan diez veces más comida que los reptiles para sobrevivir. Como en el desierto la comida es escasa, es muy práctico poder tolerar el hambre.

Las arañas e insectos también tienen sangre fría, y aguantan el hambre más que los reptiles, como descubrió el naturalista inglés John Blackwall hace cerca de 200 años. El 15 de octubre de 1829 puso una araña en un frasco, y ésta vivió sin comida ni agua hasta el 30 de abril de 1831, más de 18 meses. Tienes que ser muy bueno aguantando el hambre y la sed para tejer telarañas en la esquina de un cuarto en espera de que a una mosca se le ocurra pasar por ahí.

Los humanos, como la mayoría de los mamíferos y las aves, somos pésimos para resistir el hambre. El tiempo más largo que un adulto de tamaño promedio podría sobrevivir sin comer son cerca de 40 días. Sin embargo, algunos animales de sangre caliente aguantan más. Los pingüinos emperador no comen nada mientras incuban ni durante el largo viaje de regreso al mar después de que sus polluelos salen del cascarón: 115 días sin probar bocado. Los osos polares aguantan aún más y pueden estar 8 meses sin comer, usando sus reservas de grasa e incluso parte de sus músculos: ¡es como si se comieran a sí mismos!

Usar su cuerpo como alimento permite a los animales sobrevivir cuando la comida es escasa, pero también tiene otras ventajas, como ayudarles a recorrer largas distancias. Los diminutos chipes gorrinegros migran de Norteamérica a Sudamérica en un vuelo de 80 horas sin escalas. Es como si una persona corriera 2000 kilómetros sin parar. Pueden volar tanto gracias a que usan su propio cuerpo como combustible, sólo que cuando llegan a su destino ya han perdido la mitad de su peso y están en los huesos.

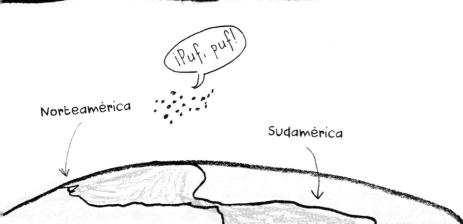

DESCENSO A LOS INFIERNOS

Desechos polares, desiertos deshidratados e interiores de frascos. ¿Hay en la Tierra algún lugar donde los animales no puedan vivir? ¿Quizá los volcanes? ¿Habrá algo que sobreviva en medio de magma fundido, charcos de lodo en ebullición, chorros de agua hirviendo, nubes de gases letales? Si crees que no es posible, te equivocas. Si pudieras ver de cerca sin achicharrarte, notarías unas manchas rojas, anaranjadas, grises y azules en el lodo y en el agua. Son colonias de bacterias, seres microscópicos cuyos cuerpos son una sola célula.

Las bacterias están en todas partes, pero las que viven en los volcanes son especiales. Se llaman "termófilas" ("amantes del calor") y sólo pueden vivir en lugares con temperaturas de entre 80 °C y 110 °C, lo suficiente para hervir el agua. Las termófilas no sólo disfrutan que las hiervan: a muchas también les gusta que las asfixien y las envenenen. La mayoría de ellas comen elementos químicos como el azufre y el hierro, para obtener energía, y casi todas morirían al contacto con el oxígeno. ¿Cómo logran sobrevivir? Nadie sabe exactamente cómo, pero los científicos sí saben por qué: cuando surgieron, hace miles de millones de años, la Tierra estaba cubierta de volcanes y mares hirvientes de ácido sulfúrico, y no había ni siquiera un poco de aire: puros gases venenosos. Y en lo que concierne a las termófilas, todo sigue igual.

hierro

¡mm!

azufre

acercamiento a una bacteria termófila

termófilas

seres que comen termófilas

seres que se comen a los seres que comen termófilas

EL FONDO DEL MAR

FUMAROLAS

Las termófilas viven donde burbujea el corazón derretido de la Tierra, aunque sea en el fondo del mar. Allá abajo hay columnas de agua súper caliente que brotan de la roca fundida bajo la tierra; se llaman "fumarolas hidrotermales". Millones de termófilas habitan ahí, bañándose en el agua hirviendo y alimentándose de sustancias químicas. No están solas: donde las heladas aguas del mar enfrían

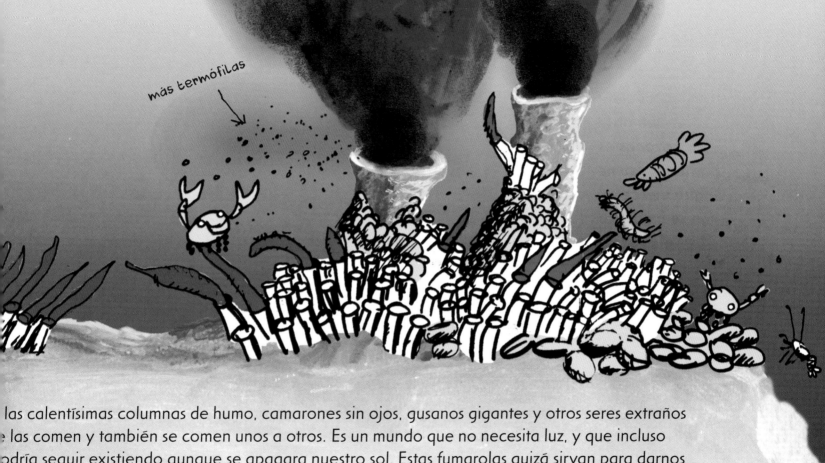

más termófilas

las calentísimas columnas de humo, camarones sin ojos, gusanos gigantes y otros seres extraños
e las comen y también se comen unos a otros. Es un mundo que no necesita luz, y que incluso
odría seguir existiendo aunque se apagara nuestro sol. Estas fumarolas quizá sirvan para darnos
istas sobre cómo podría ser la vida en otros planetas.

EL FACTOR APLASTANTE

Actualmente los científicos saben más sobre la superficie de la luna que sobre lo que pasa en el fondo de nuestros propios océanos. Una de las razones es la presión, "el factor aplastante": mientras más profundo te sumerges en el océano, más grande es el peso que el agua ejerce sobre ti. Por cada 10 metros que bajas, la presión se incrementa en lo que llamamos "una atmósfera". Si bucearas al lugar más profundo del océano, el fondo de la Fosa de las Marianas, a 11 km bajo la superficie, habría 1 100 atmósferas presionándote. Todos los lugares de tu cuerpo que contienen aire, como los pulmones y la caja torácica, quedarían completamente comprimidos y no podrías respirar. También sufrirías del síndrome neurológico de alta presión, que te haría temblar sin control y desmayarte a cada rato.

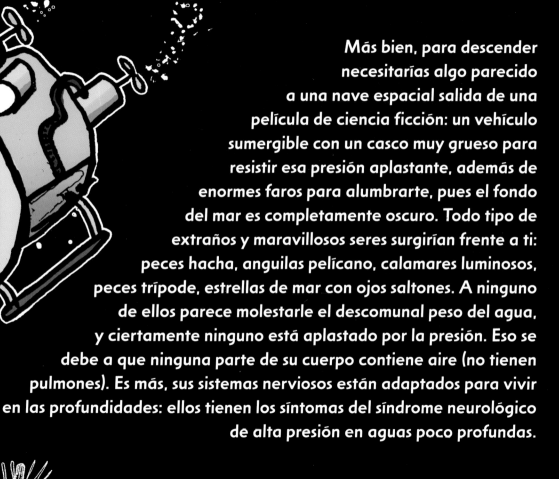

Más bien, para descender necesitarías algo parecido a una nave espacial salida de una película de ciencia ficción: un vehículo sumergible con un casco muy grueso para resistir esa presión aplastante, además de enormes faros para alumbrarte, pues el fondo del mar es completamente oscuro. Todo tipo de extraños y maravillosos seres surgirían frente a ti: peces hacha, anguilas pelícano, calamares luminosos, peces trípode, estrellas de mar con ojos saltones. A ninguno de ellos parece molestarle el descomunal peso del agua, y ciertamente ninguno está aplastado por la presión. Eso se debe a que ninguna parte de su cuerpo contiene aire (no tienen pulmones). Es más, sus sistemas nerviosos están adaptados para vivir en las profundidades: ellos tienen los síntomas del síndrome neurológico de alta presión en aguas poco profundas.

41

BURBUJAS EN LA SANGRE

ACUÉRDATE DE RESPIRAR

No hace falta recordarte que los humanos necesitamos respirar aire, así que cuando queremos permanecer más de dos minutos bajo el agua necesitamos llevar aire adicional. Esa dotación tiene que estar bajo la misma presión que la del agua alrededor de nuestras cajas torácicas, o no conseguiría entrar a nuestros pulmones. Bajo una presión tan alta, el aire puede disolverse en la sangre. En cuanto un buzo de aguas profundas regresa a la superficie y queda libre de esa presión, el aire vuelve a tener forma de burbujas. Piensa en una botella de refresco bien tapada y con el líquido que contiene bajo presión: cuando quitas la tapa, inmediatamente se oye un burbujeo. Ahora imagina que eso le pasara al cuerpo humano. Además de ser muy doloroso, puede ser letal. Se llama síndrome de descompresión. Para evitarlo, los buzos tienen que subir muy lentamente a la superficie.

Los cachalotes, en cambio, bucean a más de 1000 metros de profundidad y los elefantes marinos pueden bajar a más de 1570 metros sin rastros del síndrome de descompresión. Estos animales exhalan antes de sumergirse, y cuando están más o menos a 50 metros por debajo de la superficie, sus costillas se aplanan y sus pulmones se desinflan por completo. De este modo no queda nada de aire que pudiera entrar a la sangre y pueden seguir buceando hasta 30 o 50 minutos antes de aparecer de regreso en la superficie sin una sola burbuja. Ahora bien, ¿cómo le hacen para estar tanto tiempo sin respirar? Almacenan oxígeno en la sangre y los músculos antes de la inmersión.

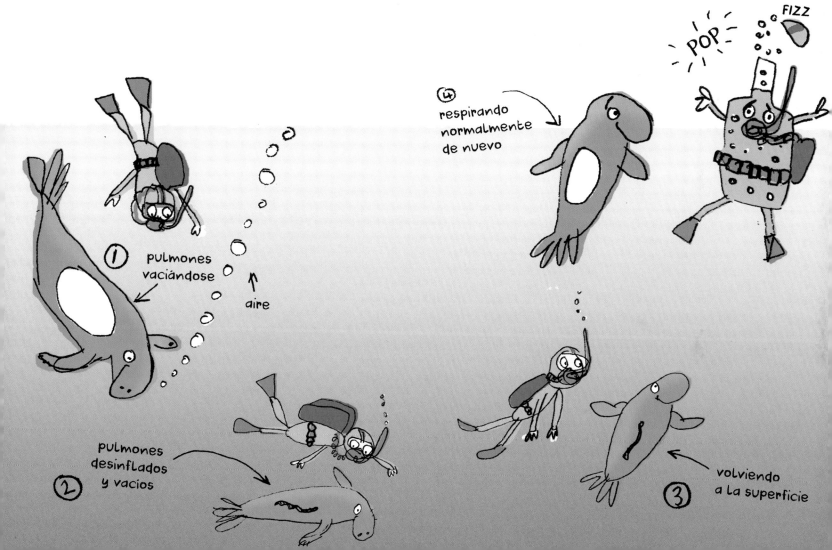

SIENTE LA FUERZA G

¡PLAF!

Si decidieras explorar el espacio porque parece menos riesgoso que explorar el fondo del mar, de todas formas tendrías que lidiar con otra clase de factor aplastante. Probablemente ya lo has experimentado al subirte a un juego mecánico en la feria: va dando vueltas cada vez más rápido y te sientes presionado contra el asiento, como si alguien se sentara en tu pecho. Esto se debe a la fuerza G. La gravedad es la fuerza que impide que te caigas de la Tierra y también la que hace que un pan tostado con mantequilla se caiga al suelo (aunque la razón por la que se cae con el lado de la mantequilla hacia abajo es otra: la ley de Murphy). La gravedad se mide en "G". Cuando estás parado, una fuerza de 1 G mantiene tus pies sobre el suelo. Si empiezas a acelerar, por ejemplo en un juego de feria o, peor todavía, un avión de reacción, la fuerza G aumenta: te clava en el asiento y empuja toda tu sangre hacia tus pies. Alrededor de 5 G, la sangre ya no alcanza a llegar a tu cerebro y te desmayas. Los pilotos de combate de la Segunda Guerra Mundial soportaban una enorme fuerza G al hacer giros rápidos, y a menudo perdían el conocimiento. Ahora los pilotos de los aeroplanos usan un traje especial "antigravedad", que hace que la sangre suba de las piernas a la cabeza. Sea como sea, los reclutas de la Fuerza Aérea de Estados Unidos tienen que pasar un examen y demostrar que pueden permanecer conscientes a 7.5 G durante 16 segundos. 25 G es lo máximo que el esqueleto humano puede soportar. Un poco más, y los huesos se nos empezarían a romper.

¡¡Ñññññy!!

USAF

45

MUNDO INSECTO

¡¡Jerónimo!!

En el mundo de los insectos, 25G no es nada. Una pulga puede brincar hasta 130 veces su propia altura, con las veloces volteretas que da, y experimenta una fuerza de 200G. Los escarabajos cascarudos dan brincos todavía más rápidos y sobreviven a 400G. Cuando este escarabajo da un giro en el aire, su cabeza soporta hasta 2 000G. A pesar de eso, todo indica que nunca se desmayan. El científico que hizo esta investigación dice que los cerebros de los escarabajos cascarudos no se dañan como los nuestros porque al parecer no son tan inteligentes.

EL LICUADO DE ESPONJA Y LA HISTORIA DE LA VIDA

as ballenas y los escarabajos cascarudos sufren enormes fuerzas aplastantes y siguen
anos y salvos. Tienen una genuina resistencia al aplastamiento. Para ser un animal de
erdad resistente tienes que sobrevivir al aplastamiento, y seguir vivo incluso si tu cuerpo
stá hecho pedacitos. A muchos invertebrados (es decir, animales sin huesos, como los
nsectos, gusanos, cangrejos y caracoles) eso les sale muy bien, porque sus cuerpos son
mples y fáciles de armar. Puedes partir una lombriz de un hachazo y le crecerá la otra
itad. Las estrellas de mar pueden cortarse en pedacitos y cada una se convertirá en una
ueva estrella de mar. Esto es algo que unos buzos en Australia descubrieron demasiado tarde,
uando trataron de combatir una plaga de estrellas de mar en la Gran Barrera de Coral, cortándolas.

as esponjas son las más resistentes. Viven en el mar y tienen toda clase de formas y tamaños; desde las
uy pequeñas y planas hasta las enormes con forma de chimenea. Es posible que alguna vez hayas usado
ara bañarte la parte gomosa del interior de alguna esponja muerta. Aunque ni siquiera las esponjas vivas
acen gran cosa: sólo se quedan ahí quietas y crecen. Sin embargo, si pones una en una licuadora verás
ue hace algo que ningún otro animal: echa tu licuado de esponja de vuelta al mar y se formará de nuevo.
odos los pedacitos de esponja se encontrarán unos a otros y lentamente reconstruirán el animal entero.
a razón por la que pueden hacerlo es un capítulo importante de la historia de la vida en la Tierra.

49

HACE MUCHO TIEMPO...

todos los seres vivos eran diminutos y estaban constituidos por una sola célula, como las bacterias. Un buen día, algunos de estos seres unicelulares empezaron a vivir juntos en colonias, y se dieron cuenta de que las cosas se facilitaban mucho si unas células se encargaban de la comida y otras de la limpieza, por así decirlo. Al pasar el tiempo, estas colonias crecieron y todo se volvió más complicado: cada vez había más trabajos diferentes. Al final, las células que vivían allí ya no pudieron sobrevivir por su cuenta: se habían convertido en un organismo multicelular, hecho de muchos tipos diferentes de células.

50

Las esponjas provienen de uno de los capítulos iniciales de esta historia. El cuerpo humano tiene miles de clases de células diferentes, pero las esponjas sólo alrededor de cuatro. Sus células no son completamente inútiles si se quedan solas, como le pasaría a una de las nuestras, pero sí les gusta vivir juntas. Es por eso que cuando se separan en la licuadora encuentran el camino de vuelta a las demás, tal como las primeras colonias de células hace millones de años.

¡Tic!
¡Tac!
¡Tic!

Y vivieron felices para siempre. ¡Ejem!, no. No es así, porque ni siquiera la princesa y el príncipe valiente viven por siempre. Los seres vivos pueden resistir el frío, el calor, la presión, el hambre, el envenenamiento y la asfixia, pero el tiempo es algo a lo que no pueden oponerse. A la larga, el tiempo acaba con todo y con todos.

tejo

tortuga gigante
de Aldabra

un maestro

pino de conos
erizados que vive
en Nevada

FRENAR EL TIEMPO

Los cuerpos vivientes están diseñados para durar lo suficiente para reproducirse y atender a sus crías hasta que puedan valerse por sí mismas. A nosotros, igual que a los elefantes, nos toma años tener bebés y criarlos, así que estamos bien parados en los índices de resistencia al tiempo. Tenemos una expectativa de vida de 70 a 80 años, y con suerte hasta un poco más. Esto no está nada mal si nos comparamos con los ratones, que viven la vida al máximo y mueren jóvenes (rara vez alcanzan a soplar dos velas en el pastel), pero tampoco es un récord mundial ni mucho menos. El animal más longevo es la tortuga gigante de Aldabra, que madura muy lentamente. En 1766 la armada francesa de la isla Mauricio, en el océano

...ndico, recibió una de estas tortugas como regalo. Vivió hasta 1918, cuando murió por caerse en un ...mplazamiento de artillería. La tortuga tenía 152 años, y de hecho a lo mejor un poco más, porque ...uando llegó a Mauricio ya estaba grande. Con todo, si las comparamos con las plantas más antiguas, ...as tortugas son sólo unos bebés. Los tejos, árboles sombríos que pueden verse en los cementerios británicos, ...egan a vivir más de 1000 años, pero los árboles más viejos son los pinos de conos erizados, que se dan ...n Nevada y California, en Estados Unidos. Se piensa que pueden tener hasta 5000 años (o sea que son ...más viejos que todos tus maestros).

VIAJEROS DEL TIEMPO

Estudiar cómo sobreviven los seres vivos en los volcanes o en las negras profundidades del océano nos deja entrever cómo podría ser la vida en otros planetas. Estudiar cómo las plantas y los animales logran sobrevivir al tiempo podría ayudarnos a viajar a esos planetas.

El espacio es inmenso. A la luz, lo más veloz del universo, le toma 4 años y 3 meses llegar a la Tierra desde Alfa Centauri, nuestra estrella más cercana (de hecho son tres estrellas juntas). Las naves espaciales viajan mucho más despacio que la luz. A la sonda *Mars Express* le tomó casi 7 meses llegar a Marte, que está sólo a 3 minutos a la velocidad de la luz. Así, a un cohete le tomaría *muchísimos* años llegar a Alfa Centauri. Si quisiéramos viajar aún más lejos, varias generaciones tendrían que pasarse la vida entera leyendo la misma revista de viajes una y otra vez.

Necesitaríamos poder hacer lo mismo que algunas semillas: entrar en un estado en que la vida se queda en suspenso. Algunas semillas pueden permanecer así, en una especie de letargo conocido como dormancia, durante cientos o incluso miles de años. Una semilla de la planta del loto sagrado germinó y creció después de yacer en un lago en China por más de 1 200 años. Las semillas del sorgo, una planta de cultivo tropical, pueden estar 6000 años en espera y todavía brotar a la vida. ¿Cómo le hacen? La ciencia aún está tratando de descubrirlo, así que pasará un buen rato antes de que los humanos puedan atreverse a ir muy lejos en el universo.

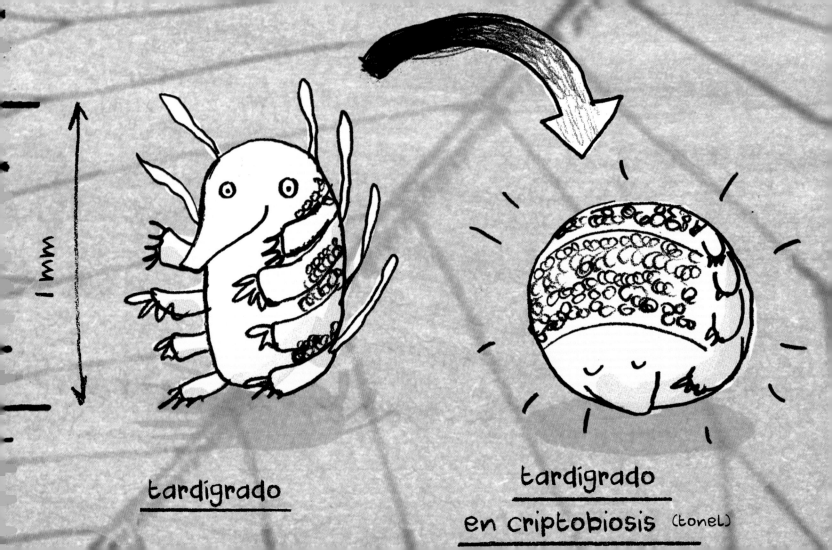

1mm

tardigrado

tardigrado

en criptobiosis (tonel)

EL ANIMAL MÁS RESISTENTE DEL MUNDO

A lo largo de este libro hemos ido a los dos polos y hemos visitado desiertos, volcanes, y hasta el fondo del océano, en busca de seres vivos muchísimo más resistentes que los seres humanos. Sin embargo, si quieres encontrar al animal extremo más resistente de todos, que puede sobrevivir a que lo congelen, lo hiervan, lo aplasten, entre otras tribulaciones, probablemente no tengas que ir más allá del parque de tus rumbos.

Esta celebridad vive tranquilamente en películas de agua sobre las hojas de las plantas (también puede encontrarse en estanques o en el mar). No es grande ni espectacular; el más grande mide poco más de 1 mm de largo. Su cuerpo, redondo y diminuto, se divide en segmentos y tiene cuatro pares de patas regordetas. Se trata del oso de agua o tardígrado. Son criaturas misteriosas y encantadoras pertenecientes a un antiguo grupo de animales que aparecieron en la Tierra hace más de 530 millones de años.

Durante su larga historia sobre el planeta, los tardígrados han evolucionado para sobrevivir a lo que sea gracias a que entran en un estado que los científicos llaman criptobiosis (que significa "vida escondida"). A la primera señal de peligro (como una sequía o una ola de frío), los tardígrados retraen sus extremidades y pliegan su cuerpo, como un telescopio. Llenan sus células de azúcar para conservarlas, tal como el azúcar que se le pone a una mermelada, y se secan hasta perder 99 por ciento del agua de sus cuerpos. En ese estado, llamado "tonel", parecen indestructibles.

Los científicos han expuesto a estos toneles a 150 °C, es decir, a una vez y media el punto de ebullición. Los han llevado al "cero absoluto", la temperatura más baja posible en el universo (−272.8 °C). Los han expuesto a una presión seis veces mayor que la que se encuentra en el fondo del océano, y a condiciones de ninguna presión, como el vacío del espacio exterior. Los han atacado con rayos X miles de veces más potentes que una dosis letal para los humanos, y los han envenenado con sustancias químicas. El resultado siempre es el mismo: cuando ha pasado el peligro y el tonel regresa al agua, expulsa sus extremidades, despliega su cuerpo y sigue ocupándose de sus asuntos como si nada hubiera pasado. Hay indicios de que los toneles podrían sobrevivir en su estado criptobiótico durante cientos o hasta miles de años, lo que los hace casi inmortales.

Los toneles tardígrados son tan pequeños y ligeros que pueden volar alrededor del planeta flotando en el viento. A lo mejor podrían viajar hasta lo alto de la atmósfera o incluso más allá. ¿Sería posible que el primer terrícola en colonizar otro mundo en el espacio fuera un tardígrado?

¡Eso sí que es ser resistente!

Índice temático

Hola de nuevo.

Glosario

Animales de sangre caliente:
Pueden mantenerse calientes
cuando hace frío y fríos cuando
hace calor. Ejemplos: aves
y mamíferos.

Animales de sangre fría:
No pueden mantener
el calor cuando hace frío
ni el frío cuando hace calor.
Ejemplos: reptiles, anfibios
y peces.

Antártida: La zona fría y
congelada alrededor del Polo
Sur, donde viven los pingüinos.

Ártico: La zona fría y
congelada alrededor del Polo
Norte, donde viven los osos
polares.

Bacterias: Seres vivos diminutos
cuyos cuerpos están hechos de
una sola célula.

Células: Pequeñísimos bloques,
tan diminutos que no se ven a
simple vista, de los que están
hechos todos los seres vivos.

Dormancia: Estado parecido al
sueño. Las plantas y semillas en
estado de dormancia están
vivas, pero no crecen, y pueden
sobrevivir así durante años.

Fumarolas hidrotermales:
Grietas en el fondo del mar
donde aguas calentísimas
ricas en minerales brotan
como si fueran humo.

Hibernar: Lo que hacen
algunos animales para sobrevivir
el invierno: entran en un sueño
profundo que dura semanas,
o meses, tiempo en el que usan
su grasa corporal para obtener
energía en vez de comer.

Incubar: Mantener calientes
los huevos para que las crías
puedan desarrollarse.

Magma: Roca derretida al rojo
vivo que está en el centro
de la Tierra como si fuera el
relleno de un chocolate.

Órganos: Grupos de diferentes
tipos de células que trabajan
juntas para desempeñar una
función. Ejemplos: cerebro,
corazón, pulmones, hígado,
piel y riñones.

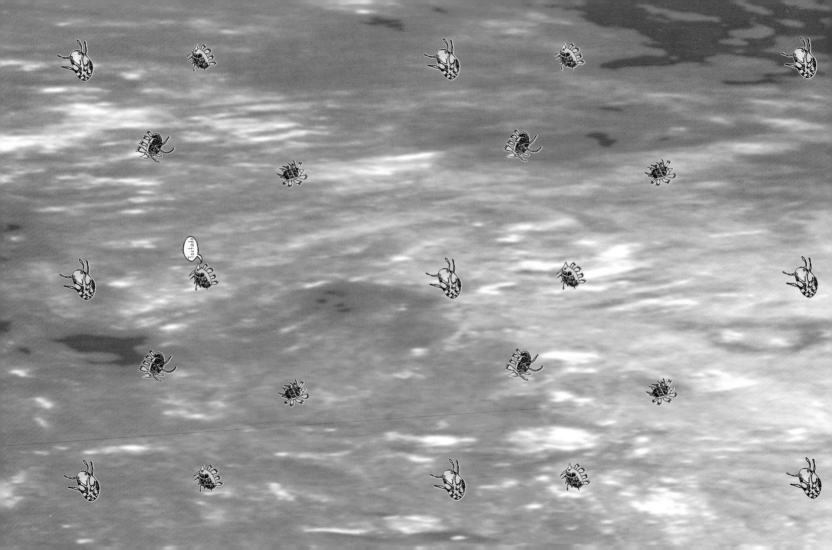

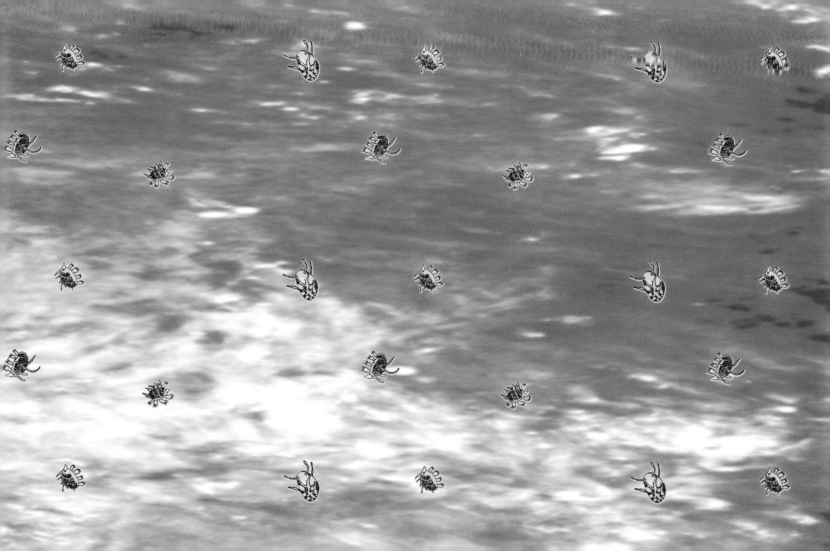

Este libro se terminó
de imprimir en China,
en diciembre de 2014.